L'invasion des lutins de Noël

Une histoire écrite par
Noha Roberts Jaibi

et illustrée par
Julie Cossette

Pour Arianne, Daphné et leur lutin Gédéon.
Noha

Pour tous les lutins du père Noël,
qui travaillent fort pour garder la magie dans nos cœurs!
Julie

Cheval masqué
Au galop

Catalogage avant publication de Bibliothèque et Archives nationales du Québec
et Bibliothèque et Archives Canada

Roberts Jaibi, Noha

L'invasion des lutins de Noël

(Cheval masqué. Au galop)
Pour enfants de 6 à 10 ans.

IISBN 978-2-89579-630-5

I. Cossette, Julie. II. Titre. III. Collection: Cheval masqué. Au galop.

PS8639.H485158 2014   jC843'.6   C2014-940782-3
PS9639.H485158 2014

Dépôt légal – Bibliothèque et Archives nationales du Québec, 2014
Bibliothèque et Archives Canada, 2014

Direction éditoriale: Thomas Campbell, Gilda Routy
Révision: Sophie Sainte-Marie
Mise en pages: Janou-Ève LeGuerrier

Nous reconnaissons l'aide financière du gouvernement du Canada
par l'entremise du Fonds du livre du Canada (FLC) pour des activités
de développement de notre entreprise.

**Conseil des Arts   Canada Council
du Canada   for the Arts**

Bayard Canada Livres inc. remercie le Conseil des Arts du Canada du soutien
accordé à son programme d'édition dans le cadre du Programme des subventions
globales aux éditeurs.

Cet ouvrage a été publié avec le soutien de la SODEC. Gouvernement du Québec –
Programme de crédit d'impôt pour l'édition de livres – Gestion SODEC.

Bayard Canada Livres
4475, rue Frontenac, Montréal (Québec) H2H 2S2
Téléphone: 514 844-2111 ou 1 866 844-2111
edition@bayardcanada.com
bayardlivres.ca

Imprimé au Canada

Offert en version numérique

978-2-89579-931-3
bayardlivres.ca

CHAPITRE 1

Première neige

Mia et Olivier habitaient un petit appartement au bout de la rue Champlain. Les enfants partageaient la même chambre, dormant dans des lits séparés par une table de chevet. Leurs parents étaient déjà partis au travail quand le réveil sonna.

— Mia! appela Olivier d'une voix encore endormie.

— Hmmm… répondit la fillette.

— Réveille-toi, c'est l'heure d'aller à l'école, insista le grand frère.

3

— Je n'en ai pas envie.

— Allez, je te prépare ton pain grillé!

— Avec de la marmelade?

— D'accord… mais seulement si tu t'habilles.

— Est-ce qu'il a neigé cette nuit?

Olivier regarda par la fenêtre et vit le paysage tout blanc.

— Oui, on va pouvoir faire des bons-hommes de neige! Allez, sort du lit, la marmotte.

— Non! Tout le monde, à l'école, parlera uniquement de décorations, de cadeaux et de sapins, pleurnicha Mia.

— Je te promets qu'on va bien s'amuser. Lève-toi, sinon on va être en retard.

Disparitions

Pendant ce temps, au pôle Nord...

Depuis quelques jours, le père Noël et son contremaître, Isidore, inspectaient les ateliers de jouets. Plusieurs centaines de lutins travaillaient à la confection de tous ces jeux sophistiqués.

Isidore remonta l'allée d'un pas pressé jusqu'à la cabane du vieil homme, puis frappa à la porte.

— Bonjour, Isidore! dit la mère Noël.

— Je présume qu'il dort encore, répondit le contremaître grognon.

— J'allais justement lui apporter son chocolat chaud.

Isidore suivit la femme jusque dans la chambre, grimpa sur l'énorme lit et mit les mains sur ses hanches.

— Alors, patron, on fait la grasse matinée! lui reprocha-t-il.

— C'est toi, Isidore! Pourquoi es-tu de mauvaise humeur ce matin?

— Orion, votre plus vieux lutin, s'est encore fait capturer.

— Ah, ça! Laisse-le s'amuser un peu. Il l'a bien mérité, le rassura le père Noël.

— Mais… la chasse aux lutins a commencé!

La mère Noël lui rappela que, chaque année, il s'inquiétait inutilement. Ils arrivaient toujours à finir le travail à temps pour la grande tournée.

Isidore partit vers le village, en direction de l'atelier des jouets électroniques, tout en maudissant cette nouvelle tradition.

CHAPITRE 3

Un secret

L'école des Ruisseaux était un grand bâtiment gris de cinq étages. Dans la cour, la cloche sonna. Mia et Olivier se mirent en rang avec leurs camarades de classe. En entrant, les enfants se bousculèrent pour retrouver leurs casiers.

Une fois assis dans leurs classes, les élèves attendirent avec impatience le dévoilement des activités pour le temps des fêtes. Madame Boutin, l'enseignante de Mia, avait étalé sur son bureau tous les projets de bricolage.

— Allons, les enfants, un peu de silence. Comme vous le voyez, j'ai beaucoup d'idées pour décorer la classe, votre maison et vos sapins. J'ai même décidé d'offrir à vos parents de jolis cadres en céramique que l'on va peindre et vernir.

Tous les élèves étaient contents de ces projets, à l'exception de Mia. Accoudée sur son pupitre, elle semblait perdue dans ses pensées.

— Tout va bien, Mia? demanda madame Boutin.

— Euh… oui, répondit-elle tristement.

— Que se passe-t-il, ma belle?

— Je ne sais pas si je vais avoir un sapin cette année.

— Ah, je vois… Tu n'as pas la chance de préparer ta maison pour la venue du père Noël.

— C'est ça, avoua la petite.

— J'ai une boîte remplie de décorations et de lumières dans mon armoire. Je ne les utilise plus. Tu pourras les apporter chez toi. Ce sera notre secret, suggéra l'enseignante.

Mia lui sourit.

CHAPITRE 4

L'inspection

Après avoir pris un bon repas, le père Noël se dirigea vers l'atelier des jouets électroniques. C'était un immense hangar, rempli d'une longue chaîne de montage où s'affairaient des centaines de lutins. Le vieil homme, suivi de son contremaître, sillonnait les allées.

— Bonjour, patron, disaient joyeusement les lutins en travaillant.

Tout à coup, le père Noël aperçut un jeune lutin un peu plus agité que les autres.

— Dis-moi, Isidore : quel est le nom de ce lutin là-bas, près de la chaîne d'assemblage des robots ?

— Grégoire, répondit distraitement Isidore.

Le vieil homme s'avança vers lui.

— Allons, mon petit Grégoire, tu sembles dépassé par ton travail. Pourtant, il nous reste encore plus d'un mois de préparatifs.

— C'est que Léon est absent. Je dois donc travailler pour deux.

« Comme c'est étrange », se dit le père Noël.

— Isidore ! appela-t-il.

— Oui, patron.

— Léon est-il à l'infirmerie?

Isidore sortit un parchemin de sa poche pour vérifier.

— Non, son nom ne figure pas sur ma liste. C'est une chance, car nous avons besoin de tous nos lutins. Ce n'est pas le temps d'être malade, affirma le contremaître.

— Alors où est-il passé? demanda le père Noël, intrigué.

Isidore regarda Grégoire. Il réfléchit un moment, sortit une autre feuille de sa poche et l'examina attentivement.

— Il a été capturé cette nuit, ainsi que trois autres lutins, déclara-t-il, mécontent.

— Ah bon... Combien de lutins ont disparu au total?

— Avec les trois d'aujourd'hui, il y en a trente-huit en tout.

Le père Noël fit semblant d'être indifférent à cette nouvelle, mais Léon était un jeune lutin. D'habitude, il n'y avait que les plus vieux qui s'aventuraient à l'extérieur, et seulement en décembre.

CHAPITRE 5

La chasse est ouverte

Quelques jours plus tard...

Les préparatifs de Noël avançaient à l'école des Ruisseaux. Les décorations de Mia étaient accrochées à la fenêtre de sa chambre, mais il n'y avait toujours pas de sapin dans le salon.

À leur arrivée à l'école, Olivier et Mia remarquèrent que les enfants étaient regroupés et paraissaient surexcités. Le grand frère emmena la petite fille dans l'un des cercles que formaient ses amis.

— Que faites-vous ? les questionna Olivier.

— Regarde ce que ma mère a trouvé hier soir sur Internet, dit Mathis.

— Ça explique comment capturer un lutin de Noël, répliqua Léa.

— Mes parents vont acheter du matériel pour fabriquer un piège, renchérit Julien.

— Wow! Ils donnent même la recette des biscuits aux pépites de chocolat, les préférés des lutins! s'exclama Luc.

— Est-ce que je peux avoir le papier? demanda Olivier.

Il lut la lettre pour sa sœur:

«Avez-vous reçu la visite d'un lutin de Noël cette année? Vous savez, ces petits farceurs qui font des bêtises la nuit et qui se figent au lever du soleil. Ces nains coquins, mais pas malins se retrouvent souvent, au petit matin, en mauvaise posture, car ils sont pris sur le fait. Dépêchez-vous de construire des pièges pour capturer votre lutin. Bonne chasse!»

— Regarde Mia, ils ont mis la photo d'un lutin.

— Il est accroché à la lampe de la cuisine et il se balance sur une banane, ricana la fillette.

CHAPITRE 6

Les lutins

Le lendemain matin, le père Noël était assis dans la cuisine, dégustant ses crêpes aux fraises, quand Isidore ouvrit bruyamment la porte.

— Nous avons un grave problème, annonça le contremaître, anxieux.

Le vieil homme regarda son lutin d'un air interrogateur.

— Une centaine de lutins ont disparu, expliqua Isidore.

— Impossible! s'exclama le père Noël.

— Je vous avais prévenu. Si ça continue, nous allons perdre tous nos ouvriers.

Les jours suivants, la liste des disparitions s'allongea. Le père Noël décida de réunir d'urgence tous les lutins.

C'était le chaos. Les lutins parlaient tous en même temps! Chacun avait une anecdote à raconter.

— Allons, un à la fois, déclara le vieil homme en levant les bras pour faire taire l'assemblée.

— Père Noël, dit timidement Christo.

— Oui, mon petit?

— Cette année, les enfants du Québec ont décoré leurs maisons et préparé leurs sapins très tôt.

— On entend des cantiques partout, ajouta Mélo.

— Et l'arôme de bons biscuits aux pépites de chocolat a envahi la région, renchérit Ludo.

— Vous savez, père Noël, qu'il est difficile pour un lutin de résister à toute cette joie et à ces festivités, dit Isidore.

Le vieil homme comprit la gravité de la situation.

Après l'assemblée, il se dirigea vers l'étable et attela ses deux rennes, Éclair et Comète.

— Mais où allez-vous? l'interrogea Isidore qui l'avait suivi.

— La grande tournée des jouets est menacée! Je vais enquêter de plus près sur ce soudain enthousiasme pour les préparatifs de Noël. Viens-tu avec moi?

CHAPITRE 7

L'enquête

En soirée, le père Noël et Isidore atterrirent près du grand lac Ouareau, dans les Laurentides. Ils espionnèrent les habitants de la région. Tous semblaient très excités.

Les parents décoraient leurs maisons en chantant des cantiques de Noël. Certains enfants préparaient de petits lits douillets et des biscuits aux pépites de chocolat pour leur futur lutin. D'autres s'amusaient à deviner les tours qu'il leur jouerait.

— Incroyable! Cela faisait longtemps que je n'avais pas vu un aussi bel esprit des fêtes, déclara le père Noël.

— Mais c'est une catastrophe! Même moi, j'ai de la difficulté à résister à toute cette frénésie, répondit Isidore.

— C'est justement cela qui est magique. Personne ne peut résister à l'esprit de Noël! Toi aussi, tu te laisserais prendre au piège.

— Êtes-vous heureux de perdre vos ouvriers?

— Certainement, et nous devons absolument encourager cette nouvelle tradition.

— Nous aurons plus de travail et moins d'ouvriers, bouda Isidore.

— Je me demande comment cette histoire de chasse aux lutins de Noël s'est propagée…

CHAPITRE 8

L'esprit de Noël

Le père Noël et Isidore poursuivirent leur enquête dans les environs. Ils trouvèrent une maison non décorée où deux enfants lisaient un article sur la chasse aux lutins.

— Olivier!

— Oui, Mia?

— J'aimerais tellement avoir un lutin, dit-elle, toute triste.

— Moi aussi. Mais notre petit appartement n'est pas très accueillant, expliqua le grand frère.

— Savais-tu que les lutins de Noël écrivaient à l'envers?

— Oui. Et quand tout le monde est endormi, ils s'amusent à jouer des tours rigolos même aux parents, affirma Olivier.

À l'extérieur, le père Noël était chagriné.

— Regarde, Isidore. Tu comprends maintenant pourquoi il est si important de répandre l'esprit de Noël.

— J'avoue que de voir ces enfants ainsi me fait de la peine. Ils n'ont même pas de sapin, répondit le lutin. Mais comment vous y prendrez-vous pour que des milliers de lutins viennent saupoudrer la magie de Noël?

— Il y a toujours une solution… Bon, c'est l'heure de rentrer au pôle Nord.

— C'est justement ce qui m'inquiète. J'espère que votre plan ne chamboulera pas la production de mes ateliers de jouets.

— Fais-moi confiance. Mon idée risque même de te surprendre, mon vieux lutin bougon, le taquina le père Noël.

En mission

À son retour, le père Noël raconta son escapade à sa femme.

— C'est extraordinaire ! s'exclama-t-elle.

— Oh, oui. C'était merveilleux de voir toute cette joie. Malheureusement, de nombreux foyers attendent encore la venue d'un lutin.

— Nous avons surmonté de plus grands problèmes. Avec un peu d'imagination et un brin de magie, tout est possible, l'encouragea la mère Noël.

— Il faudra convaincre Isidore.

— Malgré son mauvais caractère, c'est un lutin au cœur tendre, le rassura sa femme.

Le vieil homme élabora un plan, puis convoqua tous ses lutins. Ce que le père Noël s'apprêtait à leur annoncer les inquiétait et les excitait à la fois. Cette nouvelle effervescence les rendait très joyeux, mais leur travail était de terminer la fabrication des jouets pour le 25 décembre.

— Allons, un peu de silence, dit l'homme d'une voix forte. Mère Noël et moi avons trouvé une solution que notre lutin-contremaître a finalement acceptée pour le bonheur de tous.

Isidore chuchota à son patron :

— N'oubliez pas notre accord.

— Ne t'en fais pas, tu iras toi-même livrer un sapin aux deux enfants du Québec, dit le vieil homme.

Il s'adressa de nouveau à la foule :

— Mes petits, je vous autorise à propager l'esprit des fêtes jusqu'au 23 décembre. Amusez-vous et, surtout, jouez le plus de tours possible aux enfants.

À cette nouvelle, l'assemblée de lutins cria de joie.

— Je n'ai pas terminé… À cette date, vous devrez impérativement revenir au pôle Nord pour les derniers préparatifs de la tournée. L'année prochaine, nous devancerons la fabrication des jouets. Vous pourrez alors faire de cette nouvelle tradition une réussite.

Les petits lutins étaient tellement heureux qu'ils partirent par milliers dans les rues et les bois du Québec. Les jours suivants, les captures de lutins furent très nombreuses. C'était le seul sujet de discussion dans toute la province. Tous les enfants se racontaient les tours de leurs lutins de Noël.

CHAPITRE 10

Isidore

Le père Noël avait une dernière mission à accomplir pour que chaque famille reçoive son lutin.

— Vous m'avez appelé, père Noël? dit le vieux lutin.

— Ah, Isidore! Je t'ai fait venir pour te confier une mission spéciale.

— Une mission spéciale!

— Tu te souviens de ces deux enfants dont la maison n'avait pas accueilli l'esprit des fêtes?

— Bien sûr, j'avais de la peine pour eux. Vous m'aviez promis que j'irais moi-même leur livrer un sapin de Noël.

— En fait, je pensais plutôt t'offrir à leurs parents pour que tu puisses aider les enfants à préparer Noël.

— Vous voulez que je devienne leur lutin de Noël?

— Oui...

— Mais qui va diriger l'atelier ?

— Ne t'inquiète pas. Je m'en occupe personnellement.

Isidore était tellement ému d'avoir été choisi pour cette mission toute spéciale que ses joues rosirent.

Le père Noël mit des habits de ville pour passer inaperçu. Puis il partit avec Isidore en direction de la demeure d'Olivier et Mia.

CHAPITRE 11

Un cadeau

Les parents d'Olivier et de Mia revenaient de leur travail lorsque le père Noël les interpella :

— Bonjour ! Je suis votre nouveau voisin.

— Bonjour, dit poliment le couple.

— Excusez-moi de vous déranger, mais, l'autre jour, j'ai trouvé ce lutin dans mon grenier. Je lui cherche une famille d'accueil. Avez-vous des enfants ?

— Euh, oui. Une petite fille et un garçon, dit le père.

— Voudriez-vous l'adopter?

— Oh oui! Merci, Monsieur! Nos enfants seront vraiment contents, répondit la mère.

— Prenez bien soin de lui. Au revoir et joyeux Noël, dit le vieil homme en s'éloignant.

Les parents rentrèrent à la maison avec Isidore sous le bras. Ils racontèrent aux enfants leur rencontre avec le voisin. Heureux, Olivier et Mia se précipitèrent dans la chambre avec leur nouvel ami.

— Nous avons un lutin de Noël! s'exclama Mia.

— Vite, on doit lui faire un lit, donne-moi ton doudou, dit Olivier.

— Bonne idée! Ma couverture est douce et chaude. Notre lutin va être très bien.

— Mets-la au fond de cette boîte.

Les enfants préparèrent un petit lit douillet pour Isidore. Puis ils lui écrivirent un mot de bienvenue dans lequel ils s'excusèrent de ne pas avoir de biscuits aux pépites de chocolat.

CHAPITRE 12

La magie des fêtes

Mia et Olivier étaient très heureux avec leur nouvel ami. Leur maison avait enfin accueilli l'esprit de Noël. Chaque nuit, Isidore préparait une surprise à ses petits hôtes.

Bientôt, la maison fut remplie de décorations et de lumières. Isidore leur offrit un beau gros sapin de Noël.

Malgré la bonne volonté du lutin d'accomplir sa mission avec sérieux, il ne put s'empêcher de jouer quelques tours...

Un matin, Mia et Olivier burent du lait vert et étendirent du beurre rouge sur leur pain grillé. Parfois, le sapin changeait de couleur et les lumières clignotaient au rythme des chants de Noël.

Pour remercier le lutin, la mère de Mia et Olivier lui prépara de bons biscuits aux pépites de chocolat. Mais Isidore en colora un en rose pour Mia et un autre en bleu pour Olivier. Les enfants vécurent leur plus beau temps des fêtes.

Le matin du 23 décembre, un message écrit à l'envers attendait les enfants sur la table.

— C'est Isidore! s'exclama Mia.

Olivier courut chercher un miroir et le plaça au bas de la feuille.

Mes amis,

Je suis reparti au pôle Nord pour les derniers préparatifs de la grande tournée. Je vous promets de revenir l'année prochaine dès le 1er décembre. N'oubliez pas de me faire mes biscuits préférés!

Isidore

— Il est parti… chuchota Mia.

Les enfants regardèrent autour d'eux pour vérifier qu'Isidore était réellement parti. Pas la moindre trace du lutin coquin.

Soudain, quelque chose au pied du sapin attira leur attention. Il y avait deux gros bas de Noël rouges. Mia et Olivier coururent vers l'arbre. Isidore leur avait laissé des petits cadeaux.

Ce fut décidément leur plus beau Noël!

Le nouvel habit de monsieur Noël

Christiane Duchesne,
ill. **Céline Malépart**

Rien ne va plus au pôle Nord. Le père Noël s'est rasé la barbe et a jeté son beau costume. Il menace même d'annuler sa tournée de cadeaux ! Son entourage réussira-t-il à le raisonner pour préserver la magie des fêtes ?

Le père Noël ne répond plus

Rémy Simard

Lili n'a pas reçu sa lettre du père Noël. Au centre commercial, personne ne l'a vu depuis cinq jours. Aurait-il été enlevé ? Lili et son frère Jules décident de mener l'enquête. Une mission pleine de dangers… et de surprises !